afgeschreven

Te groot voor een pony

Stasia Cramer

Te groot voor een pony

Met tekeningen van
Dirk van der Maat

Troef-reeks

Twello
Van Tricht *uitgeve*rij, 2005
www.vantricht.nl

Paardentermen

Uiterlijkheden

Arabiertje: lieve naam voor het Arabisch volbloedpaard, een wild paardenras.

Kolletje: een ronde, witte vlek op het hoofd van een paard.

Ruin: een hengst waarbij de zaadballen weggenomen zijn (gecastreerde hengst).

Schofthoogte (de hoogte van de schouder): de hoogte van een paard wordt gemeten door een lat naast de schouder te houden. De schoft ligt net achter de hals van het paard.

Vos: een roodbruin paard. De kleur van een vos in het bos.

Paardengedrag

Bokken: als een paard vrolijk is of zijn ruiter eraf wil gooien, gaat hij met zijn kont omhoog. Dit wordt bokken genoemd.

Hengstig: als een merrie bevrucht wil worden door een hengst, dan is ze hengstig.

Merriegedrag: merries doen anders dan hengsten en ruinen. Ze bijten snel als ze dingen niet leuk vinden.

Neuzen: paarden maken met elkaar kennis door aan elkaars neus te ruiken.

Uitslaan: het naar achteren trappen van een paard.

Paardentuig

Bit: een mondstuk – meestal van staal – waarmee het paard kan worden gestuurd.

Halstertouw: een halster wordt gemaakt van een aantal riemen met gespen. Aan dit halster wordt met een klip een touw vastgemaakt om het paard mee te voeren.

Hoofdstel: ook het hoofdstel wordt gemaakt van riemen (meestal van leer) die met gespen vastzitten. Aan een paar van de riemen wordt het bit vastgegespt.

Singel: een brede riem, die onder de buik van het paard hangt, om het zadel op zijn plaats te houden.

Stijgbeugels: aan het zadel zitten stijgbeugelriemen met daaronder stijgbeugels. De ruiter steekt zijn voeten in de stijgbeugels, zodat hij een steuntje heeft.

Training

Box: een stal voor een paard

Buitenbak: een zandbak met een hek, waarin paarden worden gereden.

Cap: een soort pet als bescherming voor het hoofd van de ruiter.

Dressuur: het woord dressuur komt van 'dresseren'; het betekent gehoorzaam maken.

Dressuurfiguur: om een paard te dresseren worden figuren gereden in de rijbak. Bekende figuren zijn voltes (cirkels).

Hindernis: iets waar een paard overheen kan springen. In het

bos kan dat een omgevallen boomstam zijn. In de rijbak wordt een hindernis neergezet, die daarvoor speciaal gemaakt is.
Hoefslag: paarden lopen het meest langs het hek. Daar vormt zich dan een hoefslag: het zand is daar wat lager.
In zijn mond trekken: het is niet de bedoeling dat een ruiter hard aan de teugels trekt. Het paard heeft een bit in zijn mond en trekken daaraan doet pijn.
Inrijden: het paard klaar maken voor het rijden.
Licht aangereden: een licht aangereden paard is een paard dat al een beetje bestuurbaar is.
Longe: een lang touw van zachte stof, waarmee je het paard om je heen kunt laten lopen. Op stal of in het weiland wordt het touw weer afgeklipt: de klip wordt losgemaakt.
Longeerbak: een ronde zandbak met een hek erom heen, waarin een paard aan een lang touw rondjes loopt (longeren).
Longeren: een paard loopt aan een lang touw – de longe – rondjes om de trainer, die in het midden van de cirkel staat.
Opzadelen: het paard krijgt een zadel op zijn rug en een hoofdstel om zijn hoofd.
Parcoursklaar maken: een paard is parcoursklaar als hij een stuk of tien hindernissen achter elkaar kan springen. Hij is klaar voor de wedstrijd.
Galop: snel, met sprongen lopen van een paard.

Vliegende galop: heel hard in galop gaan.
Zadelkamer: een aparte ruimte, waar zadels en hoofdstellen opgehangen kunnen worden.

Inhoud

HOOFDSTUK I

Zano

Cindy zit op haar pony.
Ze kijkt naar de donkere lucht.
Het gaat vast regenen, denkt ze.
Ze rijdt met een groep kinderen in het bos.
Op zaterdag houdt Jacob vaak een rit in het bos.
Jacob is de baas van de manege.
De meeste kinderen rijden op een pony van de manege.
Zoals Maryam, die naast Cindy rijdt.
Haar pony heet Skippy.
Er zijn maar twee meisjes met een eigen pony.
Cindy heeft Zano, een mooie, witte pony.
Alines pony heet Hamar.
Aline rijdt achteraan, want Hamar is een beetje sloom.
Gelukkig is Zano niet zo sloom, denkt Cindy.
Zano wil het liefst vooraan draven.
Maar dat mag niet van Jacob.
Jacob rijdt altijd vooraan.

Jacob kijkt naar de lucht.
'Ik denk dat het heel hard gaat regenen,'
zegt hij tegen Cindy en Maryam.
'Als we wat sneller gaan, zijn we misschien voor de bui
binnen.
We gaan het laatste bospad in galop.'
Jacob roept naar de hele groep: 'We gaan in galop.
Zijn jullie klaar?'
Alle kinderen pakken hun teugels wat korter.

Ze vinden het leuk om nog een stuk in galop te gaan.
Zano weet ook precies wat ze gaan doen.
Het liefst wil hij het paard van Jacob inhalen.
Cindy houdt de teugels strak.

In een paar tellen gaan alle pony's in galop.
Zano schudt met zijn hoofd.
Hij wil sneller!
'Rustig Zano,' roept Cindy.
'We moeten achter Jacob blijven.'
Skippy, de pony van Maryam, wil ook sneller.
Hij wil voorbij Zano.
Maar dat wil Zano weer niet.
Hij hapt naar Skippy.
'Kijk toch uit, Cindy,' roept Maryam.
'Skippy en Zano gaan met elkaar vechten!'
Cindy trekt Zano naar rechts, van Skippy weg.
Maar Skippy gaat achter Zano aan.
Hij duwt hem nog verder naar rechts.
'Oei!' roept Cindy uit.
Het bospad gaat naar links.
Er is geen ruimte in de bocht voor Zano.
Ze rijden recht op een boom af!

Op het laatste moment ziet Cindy een klein bospaadje.
Ze stuurt Zano het paadje op.
Het paadje is smal en vol kuilen.
Zano gaat nog sneller.
Hij ziet dat de weg vrij is.
Cindy ziet links en rechts bomen en struiken.
'Stop Zano,' roept ze naar haar pony.
Zano houdt vaart in.
Hij luistert weer naar Cindy.
Dan komt er een bocht naar links.

Het paadje leidt terug naar het grote bospad.
Cindy ziet de andere pony's door de bomen heen.
We zijn weer bij de groep, denkt ze.
Maar dan ziet ze ineens een boom op het pad liggen.
Een flinke boom met takken.
Zano kan niet meer op tijd stoppen.
'We springen er overheen, Zano,' roept Cindy.
Zano kan goed springen.
Samen hebben ze al veel wedstrijden gewonnen.
Zano zet af voor de sprong.
Cindy lacht als ze in de lucht zweven.
Maar dan ineens blijft haar voet achter een tak haken.
Cindy valt op de grond.
Ze ziet hoe Zano zonder ruiter verder rent.
Cindy voelt pijn in haar heup.
Ook de zijkant van haar voet doet zeer.
Langzaam staat ze op.
Gelukkig heeft ze niets gebroken.
Maar haar been is bont en blauw, dat voelt ze.
Cindy begint te huilen.
Ze huilt niet van de pijn.
Ze huilt om iets anders.
Haar benen steken ver onder de buik van Zano uit.
Daardoor bleef haar voet achter de tak haken.
Cindy is te groot voor Zano.

HOOFDSTUK 2

Een moeilijke beslissing

'Zullen wij even naar mijn kamer gaan?'
vraagt Cindy's moeder na het eten.
Cindy's vader en Robin, haar broertje, kijken televisie.
Als de tv aan staat, is er geen gesprek mogelijk.
Cindy loopt achter haar moeder aan naar de computerkamer.
Dit is de werkkamer van haar moeder.
Cindy gaat tegenover haar moeder zitten.
Aan de andere kant van het bureau.
Ze kijken elkaar aan.
Haar moeder begint het gesprek.
'We moeten eens praten, Cindy.
Je bent echt te groot geworden voor Zano.
Op de manege hebben ze dat al zo vaak gezegd.
En ze hebben gelijk.
Je bent van Zano afgevallen omdat je te groot voor hem bent.
Je had je nek wel kunnen breken.
Zo kun je niet doorgaan, Cindy.
We moeten Zano verkopen en op zoek gaan naar een paard.'
Cindy zegt niets.
Ze kijkt naar beneden, naar haar handen op haar knie.
Een traan druppelt over haar wang en valt op haar pink.
We kunnen Zano toch niet verkopen? denkt ze.
Zano is mijn vriend!

Cindy heeft Zano al vijf jaar.
Ze heeft hem gekregen toen ze acht jaar werd.
Dat was een geweldig verjaardagscadeau!

Cindy had nog nooit zo'n mooie pony gezien.
Spierwit was hij met lange, witte manen.
Hij had een prachtig volle staart.
Zijn ogen waren groot en keken helder de wereld in.
Toen ze voor het eerst naast hem stond,
snuffelde hij aan haar gezicht.
Het was of hij haar een kus wilde geven.
Cindy had al een jaar lang gehoopt dat ze een pony zou krijgen.
Toen was haar wens vervuld.

Het was liefde op het eerste gezicht tussen Cindy en Zano.
Zano draafde niet zoals de pony's van de manege.
Hij bewoog veel sierlijker,
het was alsof hij danste.
Alle meisjes op de manege waren jaloers.
Zij wilden ook wel zo'n mooie pony.
Zano bleek goed te kunnen springen.
Samen hebben ze een kast vol lintjes en bekers gewonnen.
Maar Cindy is de laatste twee jaar flink gegroeid.
Nu is Zano te klein voor haar.
Ze kunnen niet meer naar een springwedstrijd.
Haar benen zijn te lang voor Zano.
Haar stijgbeugels zijn al zo kort mogelijk.
Haar knieën doen er zeer van.
Toch blijven haar benen ver onder Zano's buik uitsteken.

Haar moeder heeft gelijk, iedereen heeft gelijk.
Ze is te groot voor Zano.
Terwijl de tranen over haar wangen stromen,
knikt Cindy naar haar moeder.
'Het moet,' zucht ze.
'We moeten Zano verkopen.
Wat een moeilijke beslissing!'

HOOFDSTUK 3

Een briefje op het prikbord

De volgende dag is het zondag.
Op zondag is Cindy de hele dag op de manege.
Cindy heeft al op Zano gereden.
Buiten regent het behoorlijk.
Daarom heeft Cindy in de binnenbak gereden.
Er stonden veel meisjes van de manege
aan de kant te kijken.
Maar vandaag keken de meisjes niet vriendelijk.
Ze keken alsof ze medelijden met Cindy hadden.
Of hadden ze medelijden met Zano?
Cindy heeft heus wel gehoord
wat Maryam tegen Wendy fluisterde.
Ze zei: 'Zielig toch voor Zano, zo'n groot meisje op zijn rug.
Straks breekt hij nog doormidden!'
Die stomme Wendy knikte ernstig ja.
Ineens had Cindy een hekel aan al die meisjes met hun
geklets.
Cindy had geen zin meer om op Zano te rijden.
Na een kwartier was ze al gestopt.
Ze had haar pony afgezadeld en op stal gezet.
Daarna was ze met haar zadel in het gangpad
tussen de stallen gaan zitten.

Op zondag maakt ze altijd haar zadel en hoofdstel schoon.
Normaal komen er meisjes bij zitten voor de gezelligheid.
Ze helpen haar dan met invetten.

Of ze pakken een ander zadel om schoon te maken.
Maar nu zit Cindy helemaal alleen in het gangpad.

Cindy knijpt een spons boven een emmer uit.
Ze wrijft de spons over een stukje zadelzeep.
Ineens ziet ze haar moeder aankomen.
'Ik heb een briefje getypt,' zegt haar moeder.
'We kunnen het briefje op het prikbord hangen.'
Ze laat het briefje aan Cindy zien.
Cindy leest de tekst.

Superpony aangeboden

Jullie kennen hem allemaal, het is Zano.
Cindy is helaas te groot voor hem geworden.
Nu zoeken we een ander, lief baasje voor hem.
Heb je belangstelling, bel dan even.

Hun telefoonnummer staat eronder, ziet Cindy.
'Ben je het ermee eens?' vraagt haar moeder.
Cindy haalt haar schouders op.
'Ik denk het wel,' zegt ze.
Ze wil Zano helemaal niet kwijt.
Maar ze weet wel dat het moet.
'We proberen hem eerst op de manege te verkopen,'
zegt haar moeder.
'Dan blijft hij op zijn vertrouwde stal staan.
Als dat niet lukt, zet ik hem op internet te koop.
Maar voor de pony lijkt me dat niet zo fijn.'
Cindy knikt.
Daar is ze het zeker mee eens.
Haar moeder loopt door naar de kantine.
Daar hangt een prikbord voor dit soort briefjes.

Het is vijf uur, de normale tijd om naar huis te gaan op zondag.
Cindy pakt haar fiets uit het rek.
Wat heeft deze dag lang geduurd!
Op de manege heeft ze tegen niemand meer gepraat!
Ze heeft gewoon gedaan alsof ze het heel erg druk had.
Cindy heeft haar zadel en hoofdstel wel drie keer ingevet.
Daarna heeft ze haar poetsdoos schoongemaakt.
En de staart van Zano heeft ze helemaal uitgekamd.
Pas toen alle kinderen weg waren,
is ze naar de kantine gegaan.
Ze heeft het briefje zien hangen.
Het liefst wilde ze het briefje van het bord afrukken.
Maar dat deed ze natuurlijk niet.
Ze heeft toch zelf het besluit genomen
om Zano te verkopen?

Cindy's moeder staat Cindy op te wachten.
'Zano is verkocht!' zegt ze opgewonden.
'We hadden hem wel drie keer kunnen verkopen.
Ik ben de hele middag gebeld!
De ouders van Wendy waren het eerst.
Ze wilden de vraagprijs geven.
Morgen komen ze betalen.'

HOOFDSTUK 4

Ruzie

Cindy komt in haar rijbroek de trap af.
'Waar ga jij heen in je paardrijkleren?'
vraagt Cindy's moeder.
'Naar de manege!' zegt Cindy.
'Zano is toch gisteren verkocht?' zegt haar moeder.
'Je hebt nu toch geen pony meer?
Of wil je in de les meedoen op een pony van de manege?
Dat mag wel, hoor.'
'Ik ga Wendy helpen met Zano,' zegt Cindy.
'Ik denk dat ze niet eens weet
hoe ze een pony moet poetsen en opzadelen.
Zij rijdt altijd op een manegepony in de tweede les.
Dan is de pony al opgezadeld door het meisje uit
de eerste les.
Zano moet precies dezelfde verzorging krijgen als
toen hij nog van mij was.
Dat ga ik Wendy dus leren.'
Cindy's moeder kijkt Cindy doordringend aan.
'Doe je wel een beetje aardig tegen Wendy?' zegt ze.
'Wendy moet zelf leren
hoe ze met haar nieuwe pony moet omgaan.
Niet de baas spelen over Wendy, hè?'
'Neehee,' zegt Cindy.
Ze vindt dat haar moeder aan het zeuren is.

Op de manege is het druk.
De manegemeisjes zijn hun pony's aan het poetsen.

Over tien minuten begint de les.
Zano begint te hinniken als hij Cindy ziet.
Cindy loopt naar Zano toe en geeft hem een knuffel.
Wendy komt al met de poetsdoos aanlopen.
'Oh, ben jij er weer?' zegt ze tegen Cindy.
Dat klinkt niet aardig, vindt Cindy.
'Eh, ik wil je een beetje helpen met Zano,' zegt ze.
'Een eigen pony is iets anders dan een manegepony.
Je moet een eigen pony elke dag verzorgen en niet één keer
in de week.
Ik heb Zano vijf jaar elke dag verzorgd.
Dus je kunt dat het beste van mij leren.'
'Oh,' zegt Wendy.
Cindy ziet aan Wendy's gezicht
dat Wendy het niet met haar eens is.

Wendy gaat met de poetsdoos de stal van Zano in.
'Je moet hem eerst met de zachte roskam poetsen,'
zegt Cindy.
'Met de roskam haal je de losse haren naar boven.
Die haren kun je dan weer wegpoetsen met de harde borstel.
Tot slot gebruik je de zachte borstel om de haren mooi glad
te strijken.'
Wendy pakt de roskam en aait ermee over Zano's rug.
'Nee,' zegt Cindy.
'Je moet beginnen bij zijn hals en dan verder naar achter.
Je moet de roskam ronddraaien.'
Ze pakt de roskam uit Wendy's hand en doet het voor.
'Ik weet heus wel hoe het moet,' zegt Wendy.
Ze pakt de roskam weer terug.
'Ik heb wel vaker een pony gepoetst!'
De andere meisjes komen bij de box van Zano staan.
'Wel fijn dat Cindy je helpt, hè Wendy,' zegt Romy.
Het meisje kijkt verliefd naar de witte pony in zijn box.

Romy's ouders wilden Zano ook kopen.
Maar ze waren net te laat.
Cindy vindt dat heel erg jammer.
Ze kan goed met Romy opschieten.
Cindy vindt Wendy helemaal niet aardig.
Wendy heeft nog nooit gezegd dat ze Zano een leuke pony
vond.
Ze heeft altijd kritiek op de andere meisjes.
Wendy vindt dat ze beter kan rijden dan de andere meisjes.
Cindy vindt het zielig voor Zano
dat hij door Wendy's ouders is gekocht.
Aan Romy had hij een veel leuker baasje gehad.
Was alles maar niet zo snel gegaan!

Ook Maryam komt voor de box van Zano staan.
Zij wil zich natuurlijk ook met Cindy en Wendy bemoeien.
'Iemand met een eigen pony kan heus niet beter poetsen
dan een meisje van de manege,'
zegt Maryam tegen Cindy.
'Ik heb geen eigen pony.
Maar ik ben hier bijna elke dag om pony's te poetsen.
Misschien kan ik het zelfs beter dan jij, Cindy.
Ik poets altijd minstens twee pony's per dag.'
Cindy kijkt Maryam boos aan.
'Zano is de enige witte pony op de manege,' zegt ze.
'Het is veel moeilijker een witte pony te poetsen
dan een bruine of een zwarte.
Zano heeft ook nog een gevoelige huid.
Ik help Wendy toch alleen maar?'
Wendy pakt de poetsdoos van de grond.
'Wil je even opzij gaan?' vraagt ze aan Cindy.
'Ik wil zijn andere kant poetsen.'

Het is een half uur later.
Wendy rijdt op Zano mee in de manegeles.
Ze kan nu elke dag rijden in plaats van één keer in de week.
Cindy staat aan de kant te kijken.
Jacob, de baas van de manege, geeft les.
'In de hoek gaan jullie in galop,' roept hij.
Cindy kijkt hoe Wendy het doet op Zano.
Helemaal fout natuurlijk!
Zano draaft heel langzaam en hij gaat niet in galop.
Als Wendy langs draaft, kan Cindy zich niet meer inhouden.
'Je moet met je handen naar voren!' zegt ze.
Als je aan de teugels trekt, kan hij toch niet in galop?'
Wendy kijkt Cindy woedend aan.
'Bemoei je met jezelf,' sist ze.
'Eigenwijs kind!' roept Cindy haar zachtjes na.
Maryam, die net langs Cindy rijdt, heeft haar gehoord.
'Je moet niet denken dat jij beter kunt rijden dan Wendy,'
zegt ze.
'Zano is aan jou gewend.
Misschien heb je hem wel iets verkeerds geleerd.
Waarom ga je niet een keer op één van de andere pony's?
Dan weten we of je écht kunt rijden!'

HOOFDSTUK 5

Rust op de manege

De volgende dag gaat Cindy weer naar de manege.
Ze is bang dat het niet leuk zal zijn.
Romy en Aline hebben gezegd
dat er achter de rug van Cindy over haar wordt gekletst.
Er wordt altijd veel door de meisjes gekletst.
Maar zelf heeft ze nooit last gehad van het geroddel.
Zij is jarenlang de beste van de manege geweest.
Alle meisjes waren jaloers op Cindy.
Ze wilden graag vriendin met haar zijn.
Maar nu is alles anders.
Cindy heeft geen eigen pony meer
en ook nog geen eigen paard.
Ze is gewoon één van de manegemeisjes.
Het lijkt wel of ze minder belangrijk is.
Nou ja, niet iedereen doet onaardig.
Romy en nog een paar andere meisjes zijn juist erg aardig.
Bijvoorbeeld Aline,
zij heeft ook een eigen pony op de manege.
Zij weet hoe het is om een eigen pony te hebben.
Aline vindt het juist aardig van Cindy
dat ze Wendy wil helpen.
Romy en Aline vinden dat Wendy eigenwijs
en ondankbaar is.
Het lijkt wel of er twee groepen op de manege zijn ontstaan.
Een groep voor Cindy en een groep voor Wendy.
Daardoor is het op de manege niet leuk meer.

Ik ga voor Zano, denkt Cindy,
terwijl ze naar de manege fietst.
Ik kan hem toch niet in de steek laten?
Wendy doet echt alles fout.
Ze poetst Zano niet goed.
Na het poetsen ziet zijn vacht er dof uit.
Bij mij glom hij altijd.
Wendy rijdt Zano heel anders dan ik.
Ze zit steeds maar in zijn mond te trekken.
In draf valt ze met haar billen in het zadel
alsof ze honderd kilo weegt.
Straks breekt die arme Zano nog doormidden!

Vandaag is er springles op de manege.
Daar wil Cindy zeker bij zijn!
Met springen kan Wendy nog meer fouten maken
dan anders.
Bij het springen mag je een pony beslist niet in zijn mond
trekken.
Dat heeft Cindy van Jacob geleerd.
Want trekken aan de teugels doet pijn bij de pony.
Dan wordt de pony bang om te springen.
De volgende keer weigert hij door zijn angst.
Je moet ook in de stijgbeugels gaan staan.
Dan kan de pony met zijn rug omhoog komen
boven de hindernis.
En je mag zeker niet in het zadel terugvallen na de sprong.
Cindy is van plan dat allemaal tegen Wendy te zeggen
voordat de les begint.

Cindy zet haar fiets in het rek voor de manege.
Jacob komt naar haar toe.
Het is alsof hij op haar heeft staan wachten.
'Jij mag hier niet meer komen,' zegt Jacob.

'Je bemoeit je teveel met Wendy.
Ik hoor alleen nog maar boze woorden en roddelpraatjes.
Ik wil dat geruzie niet op mijn manege.
De pony's worden er zelfs onrustig van.
Ga maar terug naar huis.
Ik wil rust op de manege.'
Verbaasd staart Cindy Jacob aan.
Het duurt even voor ze het begrijpt.
Ze mag hier niet meer komen.
Ze bemoeit zich teveel met Wendy.
Pas na een paar tellen heeft ze haar stem terug.
'Ik kom alleen maar om te help...'
Jacob heeft zich al omgedraaid.
Hij loopt met grote passen weg.

Alles kwijt

'Kom eens even kijken, Cin.'
Cindy's moeder roept vanuit haar kamer.
'Wat is er dan?' vraagt Cindy.
Ze zit met haar voeten onder haar billen op de bank.
Cindy kijkt tv.
Maar ze weet niet welk programma er op staat.
Met haar gedachten is ze bij Zano.
Haar eigen pony...
Nee, Zano is niet meer van haar, hij is verkocht!
Ze mag ook niet meer op de manege komen.
Cindy is haar pony én haar vertrouwde manege kwijt.
Ze is ontzettend verdrietig.

'Ik zie op het internet een paard te koop staan,'
zegt Cindy's moeder.
'Misschien wel iets voor jou, kom je even kijken?'
'Ik hoef geen paard,' zegt Cindy.
Cindy's moeder komt de kamer binnen.
Ze zijn met z'n tweeën thuis.
Cindy's vader en Robin zijn naar opa en oma.
Zij helpen opa en oma met hun nieuwe keuken.
Er moeten een paar kastjes worden opgehangen.

Cindy's moeder gaat voor de tv staan.
'Kom nou even kijken,' probeert ze Cindy over te halen.
'Het is een groot, bruin paard.
Dit paard is zó groot.

Het zal nooit te klein voor je worden.
En hij is niet zo duur.
Hij kan goed springen.
Er staat een foto bij de advertentie.
Als jij het paard leuk vindt, bel ik die mensen even.
Dan kunnen we het weekend gaan kijken.'
'Ik zeg dat ik geen paard wil!' zegt Cindy.
Haar moeder wordt boos.
'Je wilt me niet vertellen dat je alleen maar voor de tv gaat
hangen, hè?
Natuurlijk wil je wel een paard.
Je bent elke dag op de manege.
Dat is jouw leven!'
Cindy springt ineens op.
'Ik mag helemaal niet meer op de manege komen!'
roept ze woedend uit.
'Dat heb ik je toch verteld?
Jacob zegt dat ik alleen maar ruzie maak.
Waarom wil je een paard voor me kopen?
En waar moeten we dat paard neerzetten, in de schuur?
Ik stop met paardrijden.
Ik háát de manege met die stomme meiden.'
Huilend valt Cindy weer neer op de bank.
'Ik wou dat ik nooit geboren was,' zegt ze snikkend.
'Er zijn heus wel andere stallen,' zegt Cindy's moeder.
'Aan de andere kant van het dorp is die stal van... hoe heet
hij ook alweer?
Het is beter voor je om naar een andere stal te gaan.
Dan zie je Zano niet meer.
Zano is verleden tijd.'
'Ik wil hem terug!' roept Cindy uit.
'Kunnen we Zano niet terugkopen?
Ik heb nog geld op mijn spaarrekening staan.
Dat geld kan ik bijbetalen,

als de ouders van Wendy meer geld willen hebben.'
Mam gaat naast Cindy op de bank zitten en slaat haar armen
om haar heen.
'Zano is te klein voor je geworden,' zegt ze.
'Zo gaat dat met veel meisjes met een eigen pony.
Jij bent gegroeid, maar Zano niet.
Zo is het leven nu eenmaal.
Jij kreeg Zano omdat je nichtje Helen te groot voor hem
werd.
En nu heeft Wendy hem weer kunnen kopen
omdat jij flink bent gegroeid.'
'Die stomme Wendy!' snottert Cindy.

HOOFDSTUK 7

Bekers op de plank

Cindy ligt al urenlang op bed te lezen.
Het is zaterdag, normaal een drukke dag met wedstrijden.
Of een lange buitenrit in de bossen.
Maar nu is er geen manege meer voor Cindy.
Geen pony die aandacht nodig heeft,
geen meisjes om mee te kletsen en te lachen.
Cindy heeft niets meer te doen op zaterdag.
Of op zondag of op andere dagen.
Ze heeft gewoon niets meer te doen.
De afgelopen dagen heeft ze alleen maar voor de tv
gehangen.
Haar ouders maken zich grote zorgen.
'Cindy wordt ziek van verdriet,' heeft ze haar ouders tegen
elkaar horen fluisteren.

Cindy ziet op haar wekker dat het kwart over elf is.
Ben ik wel eens zo laat opgestaan? vraagt ze zich af.
Ik kan het me niet herinneren.
Maar ja, wat moet ik anders dan in bed blijven liggen
en een beetje lezen?
Ineens gooit ze het boek dat ze aan het lezen was
in een hoek van de kamer.
Stom boek!
Haar kussen gooit ze er achteraan.
Hè, dat helpt.
Cindy gaat op de rand van haar bed zitten.
Ze kijkt naar de boekenkast tegenover het bed.

Op de bovenste twee planken staan de bekers die ze met
Zano heeft gewonnen.
Aan een waslijntje door de hele kamer hangen de lintjes.
Erg veel oranje lintjes, dat zijn eerste prijzen.

Cindy staat op en pakt een lintje van de lijn.
Op de achterkant heeft ze geschreven
waar ze het gewonnen heeft.
Ponyclub de Bokruiters, eerste prijs, leest ze.
Ineens weet ze weer waar en wanneer dat was.
Ze moesten op een weiland rijden.
Er waren veel kuilen.
Cindy had al veel pony's zien struikelen.
Toen zij moest beginnen, begon het te gieten van de regen.
Binnen een minuut was Cindy door en door nat.
Het water stroomde van haar cap in haar hals.
Maar ze gingen gewoon springen.
Zano was niet gestruikeld.
Hij was zelfs niet uitgegleden op het natte gras.
Zo waren ze opnieuw eerste geworden.

Cindy pakt een beker van de plank.
Clubkampioen Stijlruiters staat erop.
Dat was de eerste keer dat ze met Zano clubkampioen werd.
De eerste keer van drie jaren achter elkaar.
Cindy wil de volgende beker pakken,
maar dan trekt ze haar hand terug.
Verleden tijd, denkt ze.
'Zano is verleden tijd,' zei haar moeder.
Ineens slaat ze met haar hand alle bekers van de plank.
Ze trekt de waslijn vol linten van de muur.
'Stomme manege, stomme Wendy!'
Cindy gaat tussen de bekers en linten op de grond zitten.
Ze begint weer te huilen.

HOOFDSTUK 8

Verrassing

Na een poosje snuit Cindy haar neus.
Ze heeft hoofdpijn van het huilen.
Ze staat op en ruimt de bekers en lintjes op.
Ik ga maar even onder de douche, denkt ze.
Nu kan iedereen zien dat ik heb gehuild.
Als papa en mama thuiskomen,
krijg ik vast weer een preek te horen.
Dat ik Zano moet vergeten, omdat hij verleden tijd is.
Kon ik het maar over doen.
Dan zou ik hem niet meer verkopen.
Ik zou met hem gaan wandelen in plaats van rijden.
Of ik had Romy op hem laten rijden.
Zij is wel lief voor Zano.
Hoe zou het nu met hem gaan?
Denkt hij net zoveel aan mij als ik aan hem?

Een half uur later komt ze aangekleed beneden.
Normaal staat ze niet zo lang onder de douche.
Daar heeft ze nooit tijd voor.
Maar nu heeft ze alle tijd van de wereld.
Cindy zet de tv aan en gaat op de bank zitten.
Ze hoort de auto van haar ouders op de oprit naast hun huis.
Haar ouders hebben boodschappen gedaan.
Ze waren vroeg weg vanmorgen.
Wel gek dat ze haar niet hebben gevraagd mee te gaan.
Haar vader heeft gisteren nog gezegd
dat zij nu aan de beurt is om een film uit te zoeken.

Cindy vindt de films die haar broertje uitkiest erg kinderachtig.

'Verrassing!' hoort Cindy haar moeder vanuit de hal roepen.
Cindy's moeder komt binnen
en geeft Cindy een splinternieuwe poetsdoos.
De doos is geel, net als de borstels.
Cindy kijkt haar moeder verbaasd aan.
Een gele poetsdoos?
De kleur geel past toch niet bij een witte pony?
Voor Zano zijn de poetsspullen,
dekens en zadeldekjes altijd blauw!
Haar moeder raadt wat Cindy denkt.
'Je nieuwe paard is een vos,' zegt ze.
'Een vos is roodbruin, zoals je weet.
Deze kleur staat prima bij een roodbruin paard.
Hij staat voor je klaar op je nieuwe stal.'
'Hè?' zegt Cindy.
'Ja, je hoort het goed.
Je hebt sinds een uur een nieuw paard.
Papa heeft gisteren met oom Harold gebeld.
Oom Harold vertelde dat hij Tijger ging verkopen.
Het paard was eigenlijk voor je nichtje Helen.
Maar Helen is gaan studeren.
Ze komt alleen nog in het weekend thuis.
Tijger moet elke dag worden gereden, zegt oom Harold.
Hij is nog erg jong en heeft veel energie.
We mogen hem een maand op proef hebben.
Dan kun je kijken of hij bij je past.
Oom Harold heeft hem vanmorgen laten brengen
met de paardentaxi.
Zijn zadel en hoofdstel zijn ook meegekomen.
Tijger staat op de stal, waar ik je over heb verteld.
Aan de andere kant van het dorp.

Ze hadden gelukkig nog een box vrij.
Ga je mee naar Tijger?'

Cindy moet er even over denken.
'Oom Harold heeft toch alleen maar dure paarden?'
zegt ze dan.
'Hij verkoopt ze toch naar het buitenland?'
'Dit paard heeft als veulen in het prikkeldraad vastgezeten,'
zegt pap.
'Hij heeft een bult op zijn achterbeen.
Daarom is hij niet te verkopen in het buitenland.
Maar oom Harold zegt dat Tijger er geen last van heeft.
Hij heeft hem laten keuren door de dierenarts.
Zonder die bult hadden we Tijger nooit kunnen kopen.
Dan was hij veel te duur geweest.
Oom Harold vraagt van ons niet zoveel geld voor Tijger.
Hij vindt het leuk dat het paard in de familie blijft.
Nou, ga snel met met me mee om te kijken.
Ik moet straks naar de voetbalwedstrijd van Robin.
Dat heb ik hem beloofd.'

Even twijfelt Cindy nog.
Ze wil toch geen nieuw paard?
Maar ze is toch verrast en opgewonden.
Hier thuis zit ze zich toch maar te vervelen.
'Even mijn paardrijbroek aantrekken,' zegt ze.

HOOFDSTUK 9

Tijger

Een half uur later komen ze bij de nieuwe stal aan.
Beerboom: In- en verkoop springpaarden
staat er op een groot bord naast de oprijlaan.
Cindy's moeder parkeert hun auto op de parkeerplaats.
Er staat een hele grote vrachtwagen.
Ze loopt voor Cindy uit naar de stallen.
'Ik ben hier gisteren geweest, dus ik ken de weg,' zegt ze.
'Hier is de buitenmanege,' wijst ze aan.
'Daar kun je rijden als het mooi weer is.
'Maar er is ook een binnenbak in die grote hal.'

'En dit is Tijger, je nieuwe paard,'
zegt Cindy's moeder even later.
Ze wijst naar een groot paardenhoofd,
dat nieuwsgierig naar hen toedraait.
'Wow,' weet Cindy alleen maar te zeggen.
'Wat een gigantisch groot paard!'
Tijger heeft een klein wit vlekje op zijn voorhoofd.
Maar dat is ook het enige dat klein aan hem is.
Cindy kijkt voorzichtig de stal in.
Ze ziet dat hij ook vier witte voeten heeft.
Wat een grote hoeven heeft dat paard!
Tijger is prachtig roodbruin, een echte vos.
Cindy voelt zich ineens heel klein worden.
Dit paard is heel wat anders dan Zano.
Moet ze op dit enorme dier gaan rijden?

'Hallo,' horen ze achter zich.
'Zijn jullie je nieuwe paard aan het bewonderen?
Mooi dier hoor, waar komt hij vandaan?'
De stalbaas, meneer Beerboom, staat naast Cindy
en haar moeder.
Hij aait Tijger over zijn neus.
'Hij komt uit Groningen,' zegt Cindy's moeder..
'Tijger is gefokt door Cindy's oom.
Oom Harold fokt springpaarden.
Die verkoopt hij aan het buitenland.
We hebben Tijger voor een maand op proef.'
'Ik ben benieuwd hoe goed Tijger kan springen,'
zegt meneer Beerboom.
'Zullen we hem even in de buitenbak laten springen?
Daar staan een paar hindernissen.'
Cindy's moeder vindt dat een goed idee.

Eerst geeft meneer Beerboom Cindy een hand.
'Jij bent natuurlijk Cindy,' zegt hij.
Cindy knikt alleen maar.
Meneer Beerboom is ook al zo groot, net als Tijger.
Alles hier op stal is groot.
De vrachtwagen op de parkeerplaats, de paarden, de boxen.
Heel anders dan op de manege, waar vooral pony's staan.
Meneer Beerboom opent de boxdeur en Tijger
komt naar buiten.
Cindy staat nu naast haar nieuwe paard.
Help, denkt ze, hij is nóg groter dan ik dacht.
Tijger is een reus, ik heb nog nooit zo'n groot paard gezien.

HOOFDSTUK 10

Een mannenpaard

Ook meneer Beerboom lijkt onder de indruk van Tijger.
'Mooi paard,' zegt hij.
Tijger danst met grote passen met de stalbaas mee.
Zodra hij wordt losgelaten in de buitenbak,
galoppeert hij weg.
Snuivend racet hij naar de andere kant van de bak.
Daar maakt hij een stop om dan weer bokkend en springend
terug te galopperen.
Even staat hij voor hen stil.
Hij briest een paar keer en draaft dan met opgeheven staart
weg.
'Een goed paard,' zegt meneer Beerboom nog een keer.
'Maar dat is geen makkelijk paard voor een jong meisje.
Hij is groot en sterk.'
'Helen heeft al vier maanden op hem gereden,'
zegt Cindy's moeder.
'Maar ik denk dat Helen de laatste weken weinig tijd heeft
gehad om te rijden.
Ze is vorige maand gaan studeren in Utrecht.
Tijger is een jong paard, dus hij heeft veel energie.
En hij kan natuurlijk nog niet zoveel als een ouder paard.
Maar Cindy kan hem alles leren.
Mijn dochter rijdt al bijna zes jaar.
Haar kamer staat vol met de prijzen die ze heeft gewonnen.'

Meneer Beerboom pakt een lange zweep, die tegen de
bakrand staat.

Met de zweep gaat hij de bak in.
In de bak staan een paar hindernissen.
Meneer Beerboom drijft Tijger met de zweep naar de
hindernissen.
Het paard galoppeert zonder angst op de hindernissen af.
Met het grootste gemak springt hij eerst over een lage
hindernis.
Daarna gaat hij over een hele hoge hindernis.
'Die Tijger kan goed springen,'
zegt meneer Beerboom vol bewondering.
'Denkt u echt?' vraagt Cindy's moeder.
'Nou, dat komt dan goed uit.
Cindy springt het liefst, hè Cindy?'
Cindy heeft al die tijd nog niets gezegd.
Ze kijkt aandachtig en een beetje angstig naar de grote vos.
Die is nu van haar.
Zou hij ook zo springen en bokken als ze op hem zit?
Tijger is een wild paard!
Daarom zal hij wel Tijger heten.

Cindy is nooit bang geweest op de manege.
Ze is heus wel een keer van een pony afgevallen.
Maar van een pony val je niet zo hard.
Als je van Tijger afvalt, dan val je een paar meter naar
beneden.
'Ik vind dressuur ook wel leuk,'
zegt Cindy tegen meneer Beerboom.
Ze moet er niet aan denken om direct met Tijger te gaan
springen!
'Eh, je moet je paard toch eerst goed kunnen rijden in de
dressuur.
Anders kun je hem niet naar de hindernissen sturen.
Dan pas kun je er mee gaan springen.'
'Haha,' lacht meneer Beerboom.

38

'Dit paard zal niet makkelijk te besturen zijn
voor zo'n klein meisje als jij.
Je bent maar een mug op zijn rug.
Ik denk niet dat hij zich iets van jou aantrekt.
Dit is een echt mannenpaard!'

HOOFDSTUK II

Haal dat paard
even uit de bak

'Nou Cin,' zegt haar moeder even later.
'Ik heb nog meer te doen vandaag.
Ik heb Robin beloofd om naar zijn wedstrijd
te komen kijken.
Papa is al met hem mee.
Ik laat jou lekker bij je nieuwe paard.
Ik kom je aan het eind van de middag wel ophalen.
Dom eigenlijk dat we je fiets niet achterop de trekhaak
hebben gezet.
Dan had je zelf naar huis kunnen komen.
Tijgers zadel en hoofdstel hangen in de zadelkamer.
Zijn naam staat achterop het zadel.
Je poetsdoos staat onder het zadel.
Je kunt altijd een van de staljongens vragen om te helpen.
Dat heb ik met meneer Beerboom afgesproken.
Doei, fijne dag hoor.'
Cindy ziet haar moeder weglopen.
Het liefst zou ze achter haar aanrennen.
Ze wil hier helemaal niet in haar eentje achterblijven.
Ze kent hier toch niemand?
En ze wil dat grote, wilde paard helemaal niet.

Cindy wil terug naar de manege, naar Zano!
Maar haar moeder is al weg.
Cindy mag niet meer op de manege komen en Zano is
verkocht.
Cindy krijgt een brok in haar keel.

'Breng Tijger maar naar zijn stal, hij heeft genoeg gerend,'
zegt meneer Beerboom tegen Cindy.
'Ga maar kennis met hem maken, poetsen en zo.'
Hij geeft haar het losse halstertouw van Tijger
en loopt ook weg.
Cindy staat twijfelend voor het hek.
Ze durft niet naar haar nieuwe paard toe.

Cindy staat al een paar minuten voor het hek van de
buitenbak.
Tijger snuffelt aan het zand en begint met zijn voet te
schrapen.
Dan zakt hij door zijn benen om eens lekker te gaan rollen.
Vier keer rolt hij over zijn rug heen en weer.
Daarna staat hij op en schudt zich uit.
Cindy hoort een paard briesen en ze kijkt om.
Er komt een jongen aangereden op een enorm groot paard.
Het is net zo'n druktemaker als Tijger, ziet Cindy.
Het bruine paard schudt heftig met zijn hoofd.
Hij stampt ongeduldig met zijn voet op de grond.
'Wil je dat paard snel uit de bak halen?'
vraagt de jongen aan Cindy.
Hij kijkt haar bijna niet aan.
Alsof ze onbelangrijk is.
'Ik wil gaan rijden en dat gaat een beetje moeilijk met een
loslopend paard erbij.'

Cindy duwt het hek van de buitenbak open.
Ze zal Tijger nu toch echt moeten pakken.
Het paard van de jongen wordt steeds drukker.
Hij steigert een paar keer achter elkaar.
'Schiet nou eens een beetje op!' snauwt de jongen.

Cindy loopt snel de bak in.

'Tijger!' roept ze.

Tijger komt direct naar Cindy toe gedraafd.

Goh, hij luistert naar zijn naam, net als Zano,
denkt Cindy verrast.

Maar Tijger stopt niet netjes voor haar,
zoals Zano altijd deed.

Hij lijkt wel dwars door haar heen te willen lopen.

Cindy kan nog net op tijd wegspringen.

Tijger loopt door naar het hek en hinnikt luid naar het
andere paard.

Cindy kijkt beschaamd op naar de jongen.

'Hij kent me nog niet,' zegt ze.

Gelukkig komt de stalbaas eraan.

Hij kan Tijger wel pakken en geeft hem aan Cindy over.

'Kun je hem zelf naar stal brengen?' vraagt hij.

HOOFDSTUK 12

Ik ben Cindy!

Cindy trekt aan het halstertouw en ja hoor,
Tijger volgt haar de bak uit.
Bij de stalgebouwen moeten ze verder over een straatje
met aan beide kanten boxen.
Tijger hoort een paard hinniken.
Hij sleurt Cindy er naartoe.
Cindy trekt aan het halstertouw,
maar Tijger loopt gewoon door.
Hij drukt zijn neus tegen de neus van het andere paard.
Plotseling begint Tijger te schreeuwen.
Hij slaat met zijn voorbeen naar voren,
vlak langs Cindy's knie.
Nee hè, denkt Cindy, hij had mijn knie wel kunnen breken.
'Kom nou eens mee!' roept ze naar Tijger.
Ze trekt weer aan het halstertouw,
maar Tijger blijft gewoon op zijn plaats staan.
Hij vindt het andere paard heel interessant.
Cindy is boos op Tijger.
'Wat ben jij lomp, zeg,' scheldt ze tegen hem.
Ze geeft hem een tik op zijn neus.
Tijger kijkt haar verbaasd aan en loopt dan met Cindy mee.
Maar even later slaat hij rechtsaf naar het paard in de
volgende box.
Cindy wordt weer meegesleurd.
Er wordt weer geneusd, geschreeuwd en met het voorbeen
geslagen.
'Kijk toch uit met die knol,' hoort ze ineens roepen.

'Hij maakt alle paarden gek.'
Een jongen komt driftig aanlopen.
Hij pakt Tijger van Cindy over.
Hij geeft een ferme ruk aan het halstertouw en brengt Tijger
naar zijn stal.

'Wie ben jij eigenlijk?'
vraagt de jongen als hij de staldeur van Tijger heeft
dichtgemaakt.
'Je bent toch niet onze nieuwe stagiaire, hè?
Al die manegemeiden hier op stal, je hebt er niets aan!
De paarden luisteren niet naar hen.
Ze zijn alleen maar lieve manegepony's gewend.'
De jongen kijkt haar brutaal aan.
Maar Cindy kijkt net zo brutaal terug!
Deze jongen is even oud of misschien een jaartje ouder dan
zijzelf, schat ze.
Dertien of veertien jaar dus.
In elk geval veel jonger dan die stomme jongen op het
steigerende paard bij de buitenbak.
Wat denkt hij wel, deze knul met zijn stomme opmerkingen
over manegemeisjes?
Hij kent haar niet eens!

Cindy is het helemaal zat.
Ze heeft een paard gekregen dat totaal niet luistert.
Hier op stal lopen alleen maar jongens rond,
die haar opdrachten geven of afsnauwen.
Meneer Beerboom vindt dat Tijger een mannenpaard is.
Blijkbaar denkt hij dat jongens beter kunnen rijden dan
meisjes.
En deze jongen is helemaal stomvervelend.
Het is hier zelfs nog minder leuk dan op de manege.
Cindy gaat voor de jongen staan en ze rekt zich uit.

Ze slaat haar armen over elkaar en zegt bits:
'Ik ben Cindy en ik ben geen stagiaire.
Ik heb hier een stal gehuurd voor... mijn nieuwe springpaard
Tijger.
Je mag wel eens wat aardiger tegen mij zijn,
want ik ben hier een klant.
Als je zo brutaal blijft, ga ik naar je baas.
Misschien word je dan wel ontslagen!'
'Hahahaha!'
De jongen loopt bulderend van het lachen weg.
Nu is Cindy helemaal woedend.

HOOFDSTUK 13

Nico

Stampvoetend loopt Cindy naar de zadelkamer.
Met de poetsdoos vol nieuwe borstels gaat ze de box van
Tijger in.
Hij begint wat om haar heen te draaien
en ze geeft hem een flinke tik op zijn neus.
'Stilstaan!' zegt ze en zowaar, hij staat stil.
Cindy kan haar paard nu eens goed bekijken.
Tijger is mooi gebouwd.
Hij heeft een lange rug en gespierde billen.
Cindy ziet aan de onderkant van zijn achterbeen een bultje.
Dat is de oude wond, waar oom Harold over heeft verteld.
Ze durft niet aan het been te komen.
Stel dat Tijger naar haar probeert te slaan?
Eerst maar even zijn hals en rug poetsen, denkt Cindy.
Kijken hoe hij daarop reageert.

De jongen die lachend wegliep,
komt de box naast haar binnen.
Hij draagt een zadel over zijn arm
en heeft een hoofdstel in zijn hand.
Cindy gluurt naar hem tussen de tralies door.
Is hij een van de staljongens,
die meneer Beerboom in dienst heeft?
Zo gedraagt hij zich in elk geval niet.
De jongen maakt het zadel vast met de singel.
Het paard hapt hem direct in zijn arm.
'Au,' hoort Cindy de jongen uitroepen.

Hij geeft het paard een tik en wrijft dan over
de pijnlijke plek.
'Hahaha,' lacht Cindy luid en duidelijk.
'Dat is je verdiende loon.
Dat paard luistert niet naar jou!'
De jongen ziet nu pas dat Cindy door de tralies
naar hem staat te kijken.
Hij voelt zich betrapt!
'Eh, normaal is dit een braaf paard,' zegt hij.
'Maar ik denk dat ik de singel te snel heb aangetrokken.
Daar kan ze niet tegen.'

Hij doet het hoofdstel bij de merrie om en vraagt:
'Hoe heet jij ook alweer?'
'Ik heet Cindy,' zegt Cindy kattig.
'Ben je dat nu al weer vergeten?
Ik heb toch heel duidelijk mijn naam genoemd.'
'Sorry,' zegt de jongen.
'Er komen hier vaak meisjes
om een paar dagen stage te lopen.
Het is niet nodig al die namen te onthouden.'
'Waarom is dat niet nodig?' wil Cindy weten.
De jongen haalt zijn schouders op.
'Ik zie ze toch nooit meer.'

'Hoe heet je paard?' vraagt Cindy nieuwsgierig.
'We noemen haar: die bruine merrie.
Haar naam staat in haar paspoort,
maar het paspoort ligt op kantoor.
Ze wordt toch weer verkocht.
Waarom zou ik haar naam dan onthouden?'
Cindy vindt dat raar.
Je rijdt op een paard en je weet zijn naam niet eens.
Op de manege hebben alle pony's een naambordje

op hun boxdeur hangen.

'Weet je nog wel hoe je zelf heet?' vraagt Cindy even later.

'Haha, ja hoor. Ik heet Nico.'

'Is die eh... bruine merrie van je baas?'

'Ja, ze is van mijn vader,' zegt Nico.

'Is meneer Beerboom jouw vader?' vraagt Cindy verbaasd.

Nico knikt.

'Heb je ook een paard van jezelf?' wil Cindy weten.

'Nee,' zegt Nico.

'Alle paarden zijn te koop, want we zijn een handelsstal.

Ik probeer zoveel mogelijk verschillende paarden te rijden.

Ik rijd ze ook in de wedstrijd.

Daar kan ik van leren.

Ik moet ook nog veel leren,

want later neem ik de zaak van mijn vader over.'

Nico kijkt trots, een beetje te trots, vindt Cindy.

'Nou, toe maar!' zegt ze spottend.

Nico gaat de stal uit met zijn opgezadelde merrie.

Cindy blijft alleen achter met Tijger.

Cindy wil Tijgers hoofd poetsen.

Ze pakt een zachte borstel.

Haar gedachten zijn bij Nico.

Wat een brutale jongen, denkt ze.

Hij denkt dat hij heel belangrijk is,

omdat zijn vader hier de baas is.

Maar ik laat hem echt niet de baas over me spelen, hoor!

En ook niet de jongens die hier werken.

Iedereen wil de baas spelen.

Op dat moment pakt Tijger Cindy's capuchon vast.

De capuchon zit vast aan haar trui.

Tijger trekt eraan.

Cindy hangt met haar benen in de lucht.

HOOFDSTUK 14

Niet opgeven, Cindy!

'Help!' roept Cindy uit.
Ze voelt zich machteloos.
Haar benen zijn helemaal los van de grond.
Cindy fietst met haar benen door de lucht.
Ze hoopt dat Tijger haar zal loslaten.
Maar dat gebeurt niet.
Tijger staat stokstijf stil.
Het is alsof hij een standbeeld is geworden.
Cindy's voeten hangen maar een paar centimeter boven het
stro van de stal.
Ze kan niet op de grond komen.
Wat is Tijger een stom paard, denkt ze dan.
Wat heeft hij er nou aan om mij met zijn tanden op te tillen?
Dat paard denkt ook nergens over na.
Hij doet maar wat.
Waarom beweegt hij niet?
Tijger lijkt wel te slapen!
Ik moet hem wakker maken, denkt Cindy dan.
Ze geeft Tijger een tik op zijn neus.
Cindy verwacht dat hij de capuchon van schrik los zal laten.
Maar ineens hangt ze een halve meter hoger boven de grond.
Het standbeeld heeft bewogen, maar de verkeerde kant op!
Hij is met zijn hoofd omhoog gegaan!

Cindy begint het benauwd te krijgen.
Haar keel wordt dichtgeknepen door de rits van haar trui.
Ze kan bijna geen adem meer halen.

'Help!' kan Cindy nog net uitroepen.
Maar er is niemand die haar hoort.
Cindy voelt hoe het bloed naar haar hoofd stijgt.
Haar wangen bollen op en ze krijgt het ontzettend heet.
Ze kan helemaal geen adem meer halen.
De rits van de trui snijdt in haar keel, dat doet pijn.
Tijger is niet van plan de capuchon los te laten.
Cindy denkt dat ze dood gaat.

Ineens hoort Cindy een scheurend geluid.
Ze raakt eerst met beide voeten de grond.
Daarna valt ze op haar kont.
Eindelijk krijgt ze weer lucht.
Hijgend haalt ze adem.
Het duurt een paar minuten voordat ze genoeg zuurstof
in haar longen heeft.
Dan kijkt ze omhoog, naar haar nieuwe paard.
Tijger heeft nog steeds de capuchon in zijn mond.
Hij kijkt verbaasd naar Cindy.
De capuchon is losgescheurd van Cindy's trui.
Wat een geluk, denkt Cindy.
Als de capuchon niet was losgescheurd, was ik gestikt!

Voorzichtig staat Cindy op.
Ik moet oppassen met Tijger, zegt ze tegen zichzelf.
Hij weet gewoon niet wat hij doet.
Het liefst zou ze de stal uitgaan om er nooit meer terug
te komen.
Ze hoeft hier niet te wachten op haar moeder.
Ze kan ook naar huis lopen.
In een half uur kan ze thuis zijn.
Dan zegt ze tegen haar ouders dat ze Tijger niet wil.
Laat oom Harold hem maar terugnemen.
Tijger is hier toch voor een maand op proef?

Nou, Cindy weet al genoeg na een uur.
Ze heeft geen maand proeftijd nodig.
Dit is geen paard voor haar.
Paarden zijn heel anders dan pony's.
Veel te groot en ook nog gevaarlijk.
Dat steigerende paard van die staljongen is toch ook
gevaarlijk?
Hier staan alleen maar gevaarlijke paarden!
Niets voor haar.

Maar dan denkt Cindy aan Wendy en Maryam.
Zij lachen zich rot als Cindy het opgeeft.
Vooral Maryam.
Zij is dit jaar clubkampioen geworden.
Nu denkt ze dat ze beter kan rijden dan Cindy.
Ze heeft gezegd dat Cindy alleen maar op Zano kan rijden
en niet op andere paarden.
Cindy moet maar eens op een manegepony rijden.
Om te laten zien dat ze écht kan rijden.
Wat een onzin praat die Maryam.
En dan deze Nico.
'Die manegemeiden zijn alleen maar lieve pony's gewend,'
heeft hij gezegd
Niet opgeven, zegt Cindy tegen zichzelf.
Ze wil niet dat die stomme kinderen gelijk krijgen.

HOOFDSTUK 15

In vliegende vaart

Ik ga op Tijger rijden, besluit Cindy.
Dan weet ik meteen wat hij wel en niet kan.
Helen heeft toch een paar maanden op hem gereden?
Zij kan heel goed rijden.
Zano kon al veel toen ik hem van haar kreeg.
Maar niet alles, zoals Maryam denkt.
Ik heb Zano ook veel moeten leren.
Anders had ik toch niet zoveel bekers met hem gewonnen?
Een pony loopt heus niet vanzelf.
Tijger heeft een paar weken weinig gedaan.
Misschien doet hij daarom zo wild.
Het kan zijn dat hij heel braaf is met rijden.
Tijger heeft al in de bak los gelopen.
Misschien is hij zijn teveel aan energie nu kwijt.
Cindy gaat het zadel en hoofdstel uit de zadelkamer halen.

Het kost Cindy grote moeite om het zadel op Tijgers rug te
krijgen.
Wat is zo'n paardenzadel zwaar en wat is Tijger hoog.
Gelukkig blijft Tijger rustig stilstaan.
Nu het hoofdstel nog, denkt Cindy.
Ze slaat de teugels over Tijgers hoofd
en houdt het bit voor zijn mond.
Tijger gaat met zijn neus omhoog.
Hij wil dat bit niet.
Cindy wordt boos op Tijger.
'Foei toch,' scheldt ze hem uit.

54

'Waarom werk je niet even mee?'
Tijger steekt zijn neus nog verder in de lucht.
'Je weet precies hoe groot je bent, hè?' zegt Cindy.
'Nou, dan wacht ik gewoon tot je naar beneden komt.
Je kunt niet altijd met je neus omhoog blijven staan!'

Tijger houdt het lang vol.
Zoveel geduld heeft Cindy niet.
Ik moet iets verzinnen, denkt ze.
Ze begint Tijger onderaan zijn hals te kriebelen.
Direct komt hij omlaag met zijn hoofd.
Dat gekriebel op zijn hals vindt hij lekker.
Cindy houdt het bit weer voor zijn mond.
Tijger gaat opnieuw omhoog met zijn neus.
Cindy kriebelt hem weer en Tijger komt weer naar beneden.
Zo gaat het een keer of acht.
Even kriebelen en als Tijger naar beneden komt,
houdt Cindy het bit voor zijn mond.
Opeens hapt Tijger in het bit.
Cindy kan het hoofdstel snel over zijn oren trekken.
Ze maakt de riempjes vast.
Tijger wrijft met zijn hoofd over haar trui.
Cindy aait hem over zijn neus.
'Zijn we nu vriendjes?' vraagt ze en Tijger knikt.

Cindy brengt Tijger de stal uit.
Deze keer loopt hij braaf achter haar aan naar de buitenbak.
Er zijn drie jongens in de bak aan het springen.
Ook Nico op de bruine merrie.
Zijn vader, meneer Beerboom, staat erbij te kijken.
Cindy loopt met Tijger de bak in.
Ze voelt zich niet erg veilig tussen de galopperende en
springende paarden.
Snel opstijgen, denkt ze.

Maar dat is niet eenvoudig op een groot paard,
dat niet stil staat.
Cindy zet haar voet in de stijgbeugel.
Ze trekt zich aan het zadel omhoog.
Ze slaat haar rechterbeen over het zadel.
Dan gaat Tijger er in vliegende vaart vandoor.
Cindy heeft haar rechter stijgbeugel nog niet aan haar voet.
'Kijk uit voor Tijger!' roept meneer Beerboom naar de
jongens.
De jongens sturen hun paarden naar het midden van de bak.
Tijger vliegt met Cindy langs de houten omheining.

HOOFDSTUK 16

Ruilen

Het lijkt wel of er geen einde komt aan de racepartij.
Rondjes lang galoppeert Tijger langs de omheining.
Cindy kan niets meer zien.
Door de wind krijgt ze tranen in haar ogen.
Haar haren wapperen onder haar cap vandaan.
Na vier rondjes in keiharde galop kan ze haar voet in de
rechter stijgbeugel steken.
Ze heeft weer steun en gaat rechtop zitten.
Na twintig rondjes gaat Tijger wat langzamer galopperen.
Uiteindelijk wordt hij moe en gaat hij over in stap.
De andere jongens gaan weer door met springen.
Ze hebben gewoon gewacht tot Tijger stopte met galopperen.
Ze hebben helemaal niets gezegd.
Zelfs meneer Beerboom doet net of er niets is gebeurd.
Hij geeft Nico een aanwijzing.
'Laat die merrie eens wat harder werken.
Ze is een beetje lui.'
'Ze heeft weinig conditie,' zegt Nico tegen zijn vader.
'Niets mee te maken, aanpakken dat paard!'

Cindy zit te trillen op haar zadel.
Zo hard is ze nog nooit op een paard gegaan.
Zelfs niet in de bossen met Zano.
Tijger laat zich niet besturen.
Hij doet wat hij zelf wil.
Maar Cindy durft ook niet af te stijgen.

Ze wil niet uitgelachen worden door meneer Beerboom en zijn jongens!
Tijger begint uit zichzelf te draven.
Hij is weer uitgerust.
Cindy pakt de teugels wat strakker, maar dat heeft geen invloed op Tijger.
Hij blijft draven en gaat alweer sneller en sneller.
Cindy kijkt om zich heen.
De andere paarden galopperen allemaal.
Alleen de merrie van Nico draaft in een rustig tempo.
Ik rijd achter Nico aan, denkt ze.
Tijger kan moeilijk door die merrie heenlopen.

Dit gaat goed, denkt Cindy na een paar minuten.
Tijger wordt al veel rustiger.
Maar ineens gaat Nico de andere kant op.
In galop gaat hij af op een torenhoge hindernis.
Tijger gaat er achteraan, hij blijft de merrie volgen.
Cindy kan helemaal niets doen om hem te stoppen of de andere kant op te sturen.
Met een enorme boog springt Tijger over de hindernis.
Hij gaat zó hoog, dat Cindy de lucht in wordt geschoten.
Een tel later smakt ze tegen de grond.

Even blijft Cindy stil op de grond liggen.
Ze is versuft door de enorme smak die ze heeft gemaakt.
Iets later gaat ze voorzichtig rechtop zitten.
Ze wrijft over haar pijnlijke knie.
Cindy ziet hoe meneer Beerboom Tijger vangt.
Hij komt met het paard naar haar toe en zegt:
'Ik wil dit paard wel ruilen tegen die brave merrie waar Nico op rijdt.
Tijger is veel te groot en te sterk voor jou.
Straks verongeluk je nog met hem.

Mijn jongens kunnen hem wel aan.
Ik heb je al gezegd dat Tijger een mannenpaard is.
Die bruine merrie past veel beter bij jou.
Dus als je wilt, kunnen we wel ruilen.
Zeg dat maar tegen je ouders.
Zij moeten het er natuurlijk mee eens zijn.'

Het liefst wil Cindy direct haar moeder bellen.
De merrie lijkt haar een veel leuker paard dan Tijger.
Ook al heeft ze Nico in zijn arm gebeten.
Met rijden is ze wél rustig.
Dat heeft Cindy zelf gezien.
Cindy wil eigenlijk niets meer met Tijger te maken hebben.
Hij is lomp en hij luistert helemaal niet.
De jongens kijken haar allemaal aan.
Ze vinden haar stom, ziet Cindy.
Dat maakt haar weer woedend.
'Ik probeer het toch nog een keer,' zegt ze.
Cindy stijgt weer op.

HOOFDSTUK 17

Lekker wassen

De stalruiters en Nico verdwijnen één voor één uit de bak.
Ze zijn klaar met hun paarden.
Cindy blijft alleen achter met Tijger.
Tijgert hinnikt voortdurend naar de andere paarden.
Hij vindt het niet fijn om alleen te zijn.
Voor het hek van de bak staat hij steeds stil.
Het liefst wil hij naar de andere paarden op stal.
'Nee, nu luister je naar mij!' zegt Cindy en ze trekt hem
voor het hek weg.
'Vooruit, doe wat ik zeg, we gaan nu in draf.'
Tijger begint te draven.
Goh, hij luistert, denkt Cindy.
Ze draven een paar rondjes.
'Braaf, Tijger,' zegt Cindy en ze klopt hem op zijn hals.
Dat vindt Tijger fijn en hij begint te briesen.
Daarna probeert Cindy een paar manegefiguren te rijden.
Als ze wil gaan stappen, doet Tijger het ook direct.

'Ik ga je lekker wassen,' zegt Cindy tegen Tijger.
Hij staat rustig in zijn box aan wat hooi te knabbelen.
Cindy heeft het hoofdstel afgedaan en het zadel
van zijn rug gehaald.
Tijger is nat van zijn oren tot zijn staart.
Wat heeft hij lopen zweten!
Cindy doet Tijger zijn halster weer om en opent de boxdeur.
Alles hier op stal is luxer dan op de manege.

Op de manege hebben ze geen plaats
om een paard af te spuiten, maar hier wel.

Cindy zet Tijger vast tussen twee palen.
Aan beide palen hangen korte touwen.
Ze klikt de touwen vast aan Tijgers halster.
Cindy pakt de slang, die aan de muur hangt.
Ze zet de kraan aan.
Eerst spuit ze op Tijgers hoeven.
Ze wil kijken of hij schrikt van het water.
Tijger staat aandachtig naar de slang te kijken.
Hij is er helemaal niet bang van.
Dan richt Cindy de waterstraal op Tijgers natte hals.
Tijger vindt het water lekker.
Hij probeert zijn hoofd om te draaien, naar de slang toe.
Tijger komt niet ver, omdat hij vaststaat aan de touwen.
Cindy gaat met de slang naar Tijgers mond.
Dat vindt hij prachtig.
Met zijn neus proest hij in het water.
'Je bent toch wel een lief paard, Tijger,' zegt Cindy.
'We moeten aan elkaar wennen, hè?
Blijf hier nog maar even staan.
Ik doe de kraan uit.
Dan mag je terug naar je stal.'

Cindy hangt de slang weer aan de muur.
Ineens hinnikt er een paard vanuit het weiland.
Tijger schiet naar voren en galoppeert weg.
De palen, waaraan hij vaststond,
zijn als luciferstokjes afgebroken.
De palen slingeren aan zijn halster.
Cindy rent achter Tijger aan.
Dit gaat niet goed, denkt ze.
Tijger zal verongelukken.

Bij het weiland staat Tijger stil.
Hij wil neuzen met het andere paard.
Maar het paard in de wei rent weg.
Hij schrikt als hij de palen aan Tijgers halster ziet slingeren.
Langzaam loopt Cindy naar Tijger toe.
'Blijf maar stilstaan,' zegt ze tegen Tijger.
'Dan komt alles goed.'
Tijger blijft stokstijf stilstaan.
Met angstige ogen kijkt hij naar Cindy.
Ze pakt Tijger bij zijn halster en klikt de touwen af.
De palen vallen op de grond.
Gelukkig, geen gevaar meer, denkt Cindy.
'Kom maar mee naar stal, Tijger,' zegt ze.
Als een hondje loopt Tijger achter haar aan.

HOOFDSTUK 18

Aan mij
wordt niets gevraagd

Als Cindy's moeder komt om Cindy te halen,
staat Tijger rustig op stal.
Cindy is nog bezig zijn hoeven uit te krabben.
Ze durft alleen aan zijn voorbenen te komen.
Die lijken toch minder gevaarlijk dan zijn achterbenen.
Als ze zijn linkerhoef aan het uitkrabben is,
legt Tijger zijn kin op Cindy's rug.
Verrast veert Cindy op.
Zano deed dat ook altijd.
Ze voelt zich ineens veel vertrouwder met Tijger.
Ze aait hem over zijn neus.
In zijn ogen ziet ze dat hij in de war is en onzeker.
'Wees maar niet bang, Tijger,' zegt Cindy.
'Ik zal wel voor je zorgen.'

'Hoe is het gegaan?'
vraagt Cindy's moeder, als ze voor Tijgers box staat.
'Wel goed,' zegt Cindy.
Meneer Beerboom staat ineens naast Cindy's moeder.
'Dit paard is levensgevaarlijk,'
zegt hij opgewonden tegen haar.
'Je dochter is keihard van hem afgevallen.
Dat paard loopt alle kanten met haar op.
Ze heeft niets over hem te vertellen.
En hij heeft de palen van mijn spuitplaats stukgetrokken.
Zo'n sterk dier moet hard worden aangepakt.
Hij kent zijn eigen krachten niet.

Tijger is niets voor Cindy.
Ik wil hem wel ruilen tegen een brave merrie.
Die bruine merrie hiernaast is ook groot genoeg
voor je dochter.
Maar ze is niet zo sterk en ze luistert heel goed.
Die merrie past beter bij je dochter.'

Geschrokken kijkt Cindy's moeder naar Cindy.
'Wat is er vanmiddag allemaal gebeurd?' roept ze uit.
'Ben je van hem afgevallen?
Heb je je bezeerd?
Je zei toch dat het goed ging?'
Cindy haalt haar schouders op.
'Tijger is een beetje wild,' zegt ze.
'Hij sprong idioot hoog over een hindernis.
Ik verwachtte niet dat een paard zó hoog zou springen.
Daarom viel ik van hem af.
Maar de volgende keer zal dat niet meer gebeuren.
Ik moet gewoon de stijgbeugels een gaatje korter doen.
Dan heb ik meer evenwicht.
Tijger is veel groter dan Zano en hij springt ook hoger.
We moeten nog aan elkaar wennen, hè Tijger?'
Tijger snuffelt aan Cindy's trui.
Ze geeft hem een aai over zijn neus.

'Die valpartij is niet het enige, hoor,' zegt meneer Beerboom.
'Tijger is er vandoor gegaan in de bak,
wel twintig rondjes lang.
Ik moest mijn ruiters naar het midden sturen.
Anders waren er ongelukken gebeurd.
Met die bruine merrie kan Cindy
gewoon rustig in de bak rijden.
Dan kunt u met een gerust hart naar huis gaan.
Ik wil Tijger alleen maar ruilen om u te helpen!'

'Ik weet niet of we Tijger zomaar kunnen ruilen,'
zegt Cindy's moeder nadenkend.
'Hij is een maand op proef,
we hebben hem nog niet gekocht.
Ik zal het met oom Harold moeten overleggen.'
'Dat zou ik...'
Meneer Beerboom en de moeder van Cindy lopen
pratend weg.
Cindy kan niet meer horen wat ze verder bespreken.

Verbaasd blijft Cindy achter.
Aan mij wordt nooit iets gevraagd, bedenkt ze opeens.
Eerst heeft mama Zano verkocht aan die stomme Wendy.
Waarom heeft ze niet gevraagd wat ik ervan vond?
Ik had hem liever aan Romy willen verkopen.
Ze had toch even kunnen wachten tot ik thuis was?
Toen heeft papa met oom Harold afgesproken
dat Tijger hier zou komen.
Papa heeft mij niet eens gevraagd of ik Tijger wel wilde.
Ik had toch gezegd dat ik geen paard wilde?
En nu wil meneer Beerboom Tijger weer ruilen
voor die bruine merrie.
Er wordt weer niets aan mij gevraagd.
Het lijkt wel of ik niet besta!
Zachtjes wrijft Tijger met zijn mond
langs Cindy's gloeiende wangen.
Hij wil haar een kus geven.
Net als Zano bij hun eerste ontmoeting.
'Je bent lief, Tijger,' fluistert Cindy zachtjes tegen hem.
'Over jou wordt ook zomaar beslist.
Je bent als een pakketje met de paardentaxi afgeleverd.
Voor jou is het ook niet makkelijk.
Je komt op een nieuwe stal.
Je krijgt een nieuw baasje en andere vriendjes.

We lijken wel een beetje op elkaar, vind je niet?
Ik ben ook weg bij de manege en bij Zano.
Ik vind dat ik Zano in de steek heb gelaten.
Hij heeft niet zo'n leuk baasje gekregen.
Maar jou laat ik niet in de steek, wat er ook gebeurt!'

HOOFDSTUK 19

Helen aan de telefoon

Cindy's vader vindt het een goed idee
om Tijger te ruilen voor de bruine merrie.
's Avonds probeert hij met oom Harold te bellen.
Maar oom Harold is het hele weekend weg.
Dat hoort Cindy's vader van Helen.
Helen is thuis om op de paarden te passen.
Cindy's vader zegt tegen Helen dat hij later terugbelt.
Hij wil al ophangen,
maar Cindy pakt de telefoon uit zijn hand.
Zij wil zelf met Helen praten.
Helen is toch Tijgers vorige baasje geweest?
Dan moet zij hem goed kennen!

Cindy vertelt Helen wat er allemaal gebeurd is met Tijger.
Haar nichtje kijkt er vreemd van op.
'Tijger heeft nooit eerder zo gek gedaan,' zegt ze.
'Misschien is hij in de war door de verhuizing.
Tijger is een heel gevoelig paard.
Hij is nog nooit van stal geweest en mist zijn vriendjes
natuurlijk.
Je moet hem de tijd geven om te wennen, Cindy!'
Cindy is het helemaal met Helen eens.
'Tijger is bang voor al het nieuwe,' zegt ze tegen haar nichtje.
'Maar ik weet dat hij het allemaal niet kwaad bedoelt.
Hij begint me al een beetje te vertrouwen.'

Na het telefoongesprek willen Cindy's ouders
met haar praten.
'Ik heb er spijt van dat we aan Tijger zijn begonnen,'
zegt haar vader.
'Oom Harold beseft niet hoe jong en onervaren jij bent.
Helen is vijf jaar ouder dan jij.
Zij is gewend op grote paarden te rijden.
Ik ga oom Harold zeggen
dat we een vergissing hebben gemaakt.
Hij moet Tijger terugnemen.
Of hij moet hem willen ruilen tegen die brave merrie.'
'Nee,' zegt Cindy. 'Ik houd Tijger! Jullie...'
Cindy's moeder praat er gewoon door heen.
'Misschien kan Cindy morgen even op die merrie rijden,'
zegt ze tegen haar man.
'Als dat ook niet lukt, dan praten we niet over ruilen.
Dan gaat Tijger gewoon zo snel mogelijk terug naar
Groningen.
We kunnen ook een grote pony of een paard voor Cindy
zoeken op internet.
Misschien is dat paard nog te koop,
dat ik van de week op internet zag.
Weet je wel, Cindy?
Dat bruine paard, dat zo goed is in dressuur en springen?'
Cindy staat op en stampt met haar voet op de grond.
'Nu zijn jullie weer over mij aan het beslissen!'
roept ze boos uit.
'Jullie hebben Zano aan het verkeerde meisje verkocht.
Die stomme Wendy maakt alleen maar ruzie.
Maar ík mag daardoor niet meer op de manege komen.
Daarna hebben jullie Tijger voor me besteld.
Ik vond het eerst een groot, eng paard.
Jullie lieten me met dat enge paard achter.
Ik was voor het eerst op een nieuwe stal.

En net nu ik Tijger leuk ga vinden, moet hij weer weg!
Jullie willen alles voor me beslissen.
Ik ben geen klein kind meer, ik ben al dertien!'
Cindy's vader en moeder kijken haar sprakeloos aan.
'Wat wil jij dan?' vraagt Cindy's vader, na een lange stilte.
'Ik wil Tijger houden,' zegt Cindy.
Cindy's ouders kijken elkaar aan.
'Nou oké,' zegt Cindy's vader.
'Je mag het nog even proberen met Tijger.'
Maar er mogen geen rare dingen meer gebeuren.
Als hij er weer vandoor gaat,
gaat hij terug naar oom Harold.
Ik wil niet dat je een ongeluk krijgt.'

HOOFDSTUK 20

Bang voor een tractor

Het is een dag later.
Cindy staat voor de stal van haar nieuwe paard.
'Hallo Tijger,' zegt Cindy.
Tijger hinnikt zacht naar haar.
Cindy pakt een snoepje uit haar zak en geeft het hem.
'Ik ga jou vandaag eerst longeren,'
zegt Cindy tegen Tijger.
'Heeft Helen je wel eens gelongeerd?
Je loopt dan rondjes om me heen aan een lange lijn.
De lange lijn heet een longe.
Aan de longe kun je al je energie kwijt.
Dan mag je bokken en rennen zoveel als je wilt.
Daarna gaan we samen in de buitenbak rijden.
Een beetje oefenen in dressuur.
Ik zal meneer Beerboom vragen
of je vanmiddag in de wei mag.
Bij dat andere paard, weet je wel?
Waar je gisteren zo graag naartoe wilde.
Ik zal ervoor zorgen dat jij je hier thuis gaat voelen.'

Naast de parkeerplaats is een speciale longeerbak.
Het is een ronde zandbak met een hoge omheining.
Cindy loopt er met Tijger naartoe.
Ineens komt er een tractor de hoek om scheuren.
Tijger verstijft en kijkt met grote angstogen naar de tractor.
Cindy schrikt ook enorm.
'Ho Tijger, rustig!' roept ze angstig uit.

Ze trekt aan het bit.
De grote tractor komt dichterbij.
Cindy raakt in paniek.
Als Tijger wegrent, kan ze hem nooit houden!
Ze trekt nog een keer aan het bit.
Tijger steigert hoog en galoppeert dan weg.
Cindy probeert de longe vast te houden.
Maar ze wordt door Tijger meegesleurd.
Ze glijdt een stuk achter hem aan
over het straatje voor de stallen.
Dan wordt de longe uit haar handen getrokken.
Cindy valt voorover, met haar gezicht in een plas.
Als ze weer opkijkt, ziet ze Tijger het pad naar de straat
afrennen.
Bij de straat slaat hij linksaf naar het dorp.
O nee, denkt ze.
Tijger rent de straat op met de longe achter zich aan.
De longe zal ergens achter blijven haken.
Dan slaat Tijger over de kop.

Cindy springt op.
Ze let niet op de schaafwonden op haar handen.
Ze rent achter Tijger aan.
Ineens ziet ze Nico uit de zadelkamer komen
met een zadel op zijn arm.
'Help Nico!' roept ze uit.
'Tijger rent naar het dorp.
Hij heeft de longe nog aan zijn bit.
Hij zal verongelukken!'
Nico bedenkt zich geen moment.
Hij legt het zadel op de grond.
Dan rent hij naar zijn fiets, die tegen de muur staat.
'Spring achterop,' roept hij.
Ze fietsen zo snel mogelijk achter Tijger aan.

Maar het paard is al bijna niet meer te zien.
Even later komen ze bij de eerste huizen aan.
Om een lantaarnpaal hangt de longe.
Het hoofdstel zit er nog aan.
Het is natuurlijk stuk.
Iets verderop horen ze geschreeuw en gegil.
'Pak de longe en het hoofdstel,' schreeuwt Nico.
Cindy springt van de fiets.
Ze grabbelt het hoofdstel van de grond.
Ze maakt de longe los van de lantaarnpaal.
Dan rent ze achter Nico aan.
Als ze de hoek om holt, ziet ze Nico net remmen.
En ze ziet Tijger ook.
Haar paard staat kalm in een tuin te grazen.
Alsof er niets gebeurd is.
Hij heeft de struiken van de tuin platgelopen.
Het grasveldje lijkt wel omgeploegd.
De vrouw, die in het huis woont,
is schreeuwend met haar kinderen naar binnen gevlucht.

HOOFDSTUK 21

Schade

Cindy staat met het kapotte hoofdstel in haar hand.
Hoe moet ze Tijger nu meenemen?
Maar Nico pakt het uit haar hand.
Hij verandert wat riempjes.
Nico loopt naar Tijger toe.
Hij doet het paard het hoofdstel om.
'Pak jij de fiets maar.
Dan neem ik Tijger mee,' zegt Nico.
De bewoonster van het huis komt naar buiten.
'Ik had wel doodgetrapt kunnen worden!' roept ze.
Ze wijst woedend naar Tijger.
'Wie laat er nu zijn paard in het dorp los?
Ik weet wel waar jullie vandaan komen!
Ik ga naar de politie.
Dit kan zo maar niet!'

Tijger begint naast Nico te dribbelen.
'Ik ga met Tijger naar stal,' zegt Nico.
'Jij moet maar even met die mevrouw praten.
Je haalt me zo wel in met de fiets.'
Cindy loopt naar de vrouw toe.
'Het spijt me heel erg, mevrouw,' zegt ze.
'Ik zal u ons adres en telefoonnummer geven.
Alle schade wordt natuurlijk betaald.
We zijn goed verzekerd, hoor.
Maar u moet het mijn paard niet kwalijk nemen.
Tijger is nog jong.

Hij is gisteren voor het eerst van zijn leven verhuisd.
Hij staat pas een dag op zijn nieuwe stal.
Alles is nog vreemd voor hem.
Er kwam een tractor op hem af.
Daar schrok hij zo van, dat hij op de vlucht is geslagen.
Tijger wilde u heus niet trappen, hoor.
Maar hij is wel groot, hè?
Soms vind ik hem ook nog een beetje eng.'
Cindy heeft ineens tranen in haar ogen.
'Ik denk dat pap en mam hem nu zeker terugsturen
naar oom Harold.
Ze vinden Tijger te groot en te sterk voor mij.
Maar ik vind Tijger juist heel lief!'

Ineens slaat de vrouw haar armen om Cindy heen.
'We hebben wel een avontuur meegemaakt, hè?
Het leek wel of we in een film meespeelden.
Weet je wat we doen?
Als jij nou vanmiddag komt helpen om de tuin in orde te
maken, dan is het goed zo.
Er is niets stuk gegaan en het gras groeit wel weer aan.'
'Wat lief van u,' zegt Cindy
en ze geeft de vrouw spontaan een zoen.
'Ga maar snel achter je paard aan,' zegt de vrouw.
'Ik zie je vanmiddag wel, oké?'

HOOFDSTUK 22

Nog een kans?

Cindy haalt Nico vlak bij de stal in.
Tijger loopt rustig achter Nico aan.
Hij ziet er niet uit alsof hij er vandoor is gegaan.
'Tijger vertrouwt jou wel,' zegt Cindy,
als ze naast Nico rijdt.
Nico glimlacht.
'Hij is moe van al zijn avonturen, denk ik.'
'Je had wel gelijk gisteren,' zegt Cindy ineens.
'Wat bedoel je?' vraagt Nico.
'Over die manegemeisjes,
die alleen maar lieve pony's gewend zijn,' legt Cindy uit.
'Tijger luistert niet naar me, dat weet ik heus wel.
Maar denk je dat ik hem kan leren luisteren?'
Nico haalt zijn schouders op.
'Misschien,' zegt hij.
'Als je met paarden omgaat, moet je kunnen denken
als een paard.
'Een paard probeert altijd eerst te vluchten.
Dat is zijn instinct.
Je moet hem leiding geven.
Hij moet jou kunnen vertrouwen.
Dan zal hij jou volgen, al is het door het vuur.
Zo gaat het als een paard in het wild in de kudde staat.
Er is één merrie, die de andere paarden vertelt
wat ze moeten doen.
Jij moet doen alsof jij die merrie bent: jij bent de baas.
'Dan weet ik wat ik fout heb gedaan,' zegt Cindy nadenkend.

'Toen Tijger de tractor zag, verstijfde hij.
Hij wilde er niet direct vandoor.
Maar ik was zelf in paniek.
Ik begon te schreeuwen en ik trok aan het bit.
Toen sloeg hij op de vlucht.
Als ik rustig was gebleven,
was hij misschien bij me gebleven.
En nu weet ik ook waarom hij gisteren de hele dag
zo raar deed.
Ik was doodsbang voor hem.
Ik vond hem zo groot.
Toen ik zag hoe bang hij zelf was, was ik niet bang meer.'
Nico knikt weer.
'Toen begon je leiding te geven.
Dan komt zo'n paard tot rust.'

Cindy zou nog een heleboel aan Nico willen vragen.
Maar ze zijn bij de stal gekomen.
Daar worden ze opgewacht door Nico's vader
en Cindy's ouders.
Cindy's moeder rent naar Cindy toe.
'Wat is er gebeurd?
Ik ben me dood geschrokken.
Meneer Beerboom belde op.
Hij vertelde dat Tijger naar het dorp was gerend!
Ik dacht dat jij op zijn rug zat!
Wat ben ik blij dat je op een fiets zat en niet op Tijger!'
'Tijger gaat direct terug naar oom Harold,' zegt vader beslist.
'Hoe heeft hij zo'n monster naar ons toe kunnen sturen?'
Meneer Beerboom steekt zijn armen in de lucht.
Hij roept luidkeels naar zijn zoon:
'Hoe kan zo'n paard nou los komen?
Er is nog nooit een paard van stal naar het dorp gerend.
Die Tijger is absoluut niet geschikt voor zo'n jong meisje.

Zet hem maar op stal, Nico,
voordat er nog meer ellende komt.'

Cindy zet de fiets tegen de muur.
Dan loopt ze naar Tijger toe.
'Geef hem maar aan mij over, Nico,' zegt ze.
'Ik breng hem wel naar zijn stal.'
Ze gaat met Tijger voor de drie volwassenen staan.
'We hebben Tijger voor een maand op proef gekregen,'
zegt ze.
'We zijn pas op de tweede dag van de maand.
We moeten deze maand kijken of Tijger en ik
bij elkaar passen.
Ik vind dat we bij elkaar passen,
want we vinden elkaar aardig.
Maar ik moet nog veel leren.
Dit jonge, grote paard is anders dan een brave pony als Zano.
Zano deed alles vanzelf goed.
Vandaag heb ik veel van Nico geleerd.
Bijvoorbeeld dat je leiding moet geven aan een paard als
Tijger.
Nu weet ik hoe ik met hem om moet gaan.
Ik wil hem absoluut niet kwijt!
En ik vind dat ík mag beslissen of Tijger blijft of niet,
niet jullie.'
Meneer Beerboom zegt tegen Nico:
'Kun jij dat meisje niet uitleggen dat ze dat paard beter weg
kan doen?
Ik weet niet eens of ik hem wel wil ruilen voor die merrie.
Jij hebt alles gezien.
Jij weet hoe hij is.
Een gekkenhuis, toch?'
Nico kijkt van zijn vader naar Cindy.
Cindy kijkt hem smekend aan.

Ze vindt het ineens ontzettend belangrijk
wat Nico gaat zeggen.
Als Nico haar wil helpen met Tijger, dan komt alles vast
goed.
'Ik kan me voorstellen dat Cindy hem niet kwijt wil,'
zegt Nico bedachtzaam.
'Tijger bedoelt het niet kwaad.
Hij is gewoon nog jong en hij kent zijn eigen krachten niet.
Hij heeft veel leiding nodig.
Als hij die leiding krijgt,
wordt hij misschien wel een supergoed sportpaard.
Cindy moet leren hem leiding te geven.
Ik wil haar wel een beetje met Tijger helpen.
Volgens mij leert ze snel genoeg.'

Tijger staat rustig bij het gesprek te wachten.
Cindy aait hem over zijn hals.
'Vanmiddag ga ik naar het dorp,' zegt Cindy
tegen haar ouders.
'Tijger heeft een grasveldje stukgelopen.
Ik heb met die mevrouw afgesproken dat we haar tuin
samen in orde maken.
Jullie hoeven geen schadevergoeding te betalen of de
verzekering te bellen.
Die mevrouw wil Tijger en mij nog een kans geven.
Waarom zouden jullie dat dan niet doen?
Toe, geef ons nog een kans!'

HOOFDSTUK 23

Het monster is getemd

Het is winter, maar de zon schijnt.
Cindy voelt de kou niet.
Ze vindt het heerlijk om in de winter buiten te rijden.
Rustig galoppeert ze met Tijger over het brede zandpad.
Naast hen fietst Nico op het fietspad.
Tijger galoppeert achter Nico aan.
Tijger moet wennen aan het bos en aan het verkeer.
Zonder paard kan Nico Tijger snel vastpakken
als die ergens van schrikt.
Later gaat Nico ook op een paard.
Dat hebben ze afgesproken, Cindy en Nico.
Al drie maanden zijn ze samen met Tijger bezig.
Hij is helemaal gewend op zijn nieuwe stal.
Elke dag mag hij een paar uur in de wei staan
met zijn beste vriendin.
Dat is een fokmerrie van meneer Beerboom.
De andere paarden op stal komen en gaan.
Soms is een springpaard na een dag alweer verkocht.
Maar de fokmerrie blijft, net als Tijger.

Het rijden in de bak gaat heel goed, vindt Cindy.
Tijger gaat er niet meer vandoor.
Cindy heeft elke woensdag springles van meneer Beerboom.
Ze durft al over één meter twintig te springen.
'Jullie moeten gaan meedoen aan een springwedstrijd,'
heeft meneer Beerboom gezegd.
'Tijger moet een parcours leren rijden.'

'Maar hij is bang voor tractors en vrachtwagens,'
heeft Cindy toen gezegd.
'Als hij een tractor hoort, dan krimpt hij in elkaar.
Dat komt natuurlijk omdat hij die keer gevlucht is voor de tractor.
Tijger is dat nog niet vergeten.
Hij moet wel aan groot verkeer gewend zijn,
voordat hij naar een wedstrijd kan gaan.
Op een wedstrijdterrein staat het vol met vrachtwagens en trailers.
Er is ook altijd een tractor,
om de hindernissen te verplaatsen.'
Meneer Beerboom had haar streng aangekeken.
'Dan moet je met hem oefenen!
Of denk jij dat de angst vanzelf overgaat?'
Cindy vergeet zo vaak dat Tijger veel moet leren.

Samen met Nico heeft Cindy het probleem aangepakt.
In het weekend gaan ze naar buiten.
Cindy op Tijger en Nico op de fiets.
Vandaag zijn ze al een tractor tegengekomen
toen ze de straat moesten oversteken.
Nico heeft Tijger even vastgepakt toen de tractor langskwam.
Tijger wilde omdraaien en vluchten,
maar Nico hield hem vast.
En Cindy sprak rustig tegen hem en ze aaide hem
over zijn hals.
Tijger was blijven staan, de eerste overwinning!

Maar nu hoeven ze even niet aan tractors te denken.
Ze galopperen lekker in het bos.
'Er komt een fietser achter ons aan,' waarschuwt Nico.
'Hij gaat me inhalen op zijn racefiets.
Denk erom dat Tijger ook achter zich kan kijken.

Bij een paard zitten de ogen aan de zijkant van zijn hoofd.
Misschien schrikt hij van de fietser, want die rijdt heel snel.'
Cindy kijkt om en ziet de fietser aankomen.
Hij heeft een rode jas aan, net als Nico.
Tijger moet de fietser ook al hebben gezien.
Maar hij lijkt niet van hem te schrikken.
Nico wordt ingehaald en de fietser gaat harder rijden.
Hij gaat op zijn trappers staan en vliegt vooruit.
Ineens begint Tijger ook harder te galopperen.
Hij wil de fietser inhalen!
O jee, Tijger denkt dat die fietser Nico is, denkt Cindy.
Ze hebben dezelfde kleur jas aan!
Ze kijkt om.
Nico fietst al honderd meter achter hen.
Het bospad loopt nu precies naast het fietspad.
Tijger heeft de fietser bijna ingehaald.
De fietser kijkt verschrikt achterom en begint nóg harder
te fietsen.
Hij denkt zeker dat Tijger hem iets wil doen!
Tijger maakt zich lang en racet over het bospad.
Help, denkt Cindy, ik kan Tijger niet houden.
Ze raakt bijna weer in paniek.
Maar dan denkt ze aan wat Nico heeft gezegd.
Tijger heeft leiding nodig.
Ze gaat zo ver mogelijk achterover in het zadel zitten.
'Ho Tijger, rustig, dat is Nico niet!'
probeert ze hem te kalmeren.
Ze weet dat het geen zin heeft om aan de teugels te trekken.
Tijger is veel sterker dan zij.
Eigenlijk moet ze ook wel lachen om de vergissing die
Tijger maakt.
'Dom paard, je bent de verkeerde aan het volgen, haha,'
lacht ze haar paard uit.
'Doe eens rustig aan, anders zijn we Nico kwijt.'

Ineens gaat Tijger rustig galopperen.
Daarna kan ze hem zelfs laten stappen.
De snelle fietser is al niet meer te zien.
Na een minuut heeft Nico hen ook weer ingehaald.

Even later komen ze bij een kruising aan.
Vanuit de verte zien ze een groepje ruiters
op het andere pad draven.
Tijger raakt opgewonden bij het zien van de vreemde pony's.
Hij galoppeert op de plaats.
Nico pakt even de teugel vast.
'Hoho,' zegt hij en Tijger kalmeert.
'Kijk,' zegt Cindy dan.
'Daar gaat Zano, mijn oude pony.'
'Leuk dier,' zegt Nico.
'Mooi wit, dat meisje heeft hem goed gepoetst!'
Het lijkt wel of Zano Cindy heeft gehoord.
Hij kijkt haar richting uit en begint te hinniken.
Cindy pakt Nico's hand en houdt hem stevig vast.
Zano begint te dansen.
Het lijkt wel of Zano iets wil vertellen aan Cindy.
Hij wil vertellen dat het goed met hem gaat.
Cindy hoort Wendy roepen: 'Ho Zano, doe niet zo gek.'
Zano gaat weer over in een rustige stap.
Wendy heeft Cindy niet herkend.
Ze is te druk met haar pony.
Cindy zit hoog op Tijger.
'Wat is Zano ontzettend klein,' zegt ze.
'Gek, hij lijkt wel gekrompen.
Hoe kon ik op hem rijden?
Maar hij is ook zo dapper en mooi en zo lief!'
Ze krijgt tranen in haar ogen en Nico ziet dat.
'Zano is een lieve kinderpony,' zegt hij.
Maar jij bent geen kind meer.

Jij hebt een paard als Tijger nodig.
Tijger is een monster.
Jij bent een brutale meid.
Jij kunt het monster temmen.'
Cindy lacht door haar tranen heen.
'En wie gaat de brutale meid temmen?' vraagt ze.
Ze kijkt Nico uitdagend aan.
Nico trekt Cindy ineens aan haar arm naar beneden.
'Ik wil een zoen,' zegt hij.
Cindy kust hem op zijn lippen.
Nico kust haar terug.
Dan kussen ze nog een keer... en nog een keer.
En Tijger?
Die staat een paar minuten stil.
Voor het eerst in zijn leven.

2007

De Troef-reeks richt zich op lezers met een achterstand in de
Nederlandse taal, zoals dove en anderstalige kinderen en jongeren.
'Te groot voor een pony' is geschreven voor jongeren vanaf 11 jaar.

Titels in de Troef-reeks

Haan zoekt kip zonder slurf,
door Wajira Meerveld (uitverkocht)
Een voorlees/prentenboek voor
kinderen van 2 tot 6 jaar

Haan zoekt huis met geluk,
door Wajira de Weijer (Meerveld)
Een voorlees/prentenboek voor
kinderen van 2 tot 6 jaar

Thomas - een verhaal uit 1688,
door Nanne Bosma
AVI 6*

Ik wil een zoen,
door René van Harten (uitverkocht)
AVI 5*

Linde pest terug (uitverkocht)
door René van Harten
AVI 5*

Mijn vader is een motorduivel,
door Selma Noort (uitverkocht)
AVI 7*

Het huis aan de overkant,
door Anton van der Kolk
AVI 6*

Het verhaal van Anna,
door Conny Boendermaker
AVI 8*

Dierenbeul,
door Chris Vegter
AVI 6*

Dansen!,
door René van Harten
AVI 8*

Een vriend in de stad,
door Valentine Kalwij
AVI 6*

Laura's geheim,
door Marieke Otten
AVI 6*

Droomkelder,
door Heleen Bosma
AVI 6*

Een spin in het web,
door Lis van der Geer
AVI 8*

Er vallen klappen,
door Ad Hoofs
AVI 7*

Mijn moeder is zo anders,
door Marieke Otten
AVI 6*

Twee liefdes,
door Marian Hoefnagel
AVI 7*

Gewoon Wouter,
door Marieke Otten
AVI 6*

Magie van de waarheid,
door Heleen Bosma
AVI 6*

Gewoon vrienden,
door Anne-Rose Hermer
AVI 7 *

Blowen,
door Marian Hoefnagel
AVI 5 *

Breakdance in Moskou,
door Annelies van der Eijk e.a.
AVI 7 *

Kebab en pindakaas,
door Marieke Otten
AVI 6 *

Help! Een geheim,
door Netty van Kaathoven
AVI 6 *

Te groot voor een pony,
door Stasia Cramer
AVI 7 *

* *Het AVI-niveau is op verzoek van diverse*
personen uit het onderwijs aangegeven.
Duidelijk moet zijn dat het AVI-niveau alleen
het technisch lezen en niet het begrijpend
lezen betreft. De AVI-aanduiding is voor dove
kinderen doorgaans onbruikbaar. Als een doof
kind een woord technisch correct leest, zegt dat
niets over zijn begrip van dat woord.

Aan dit boek in de Troef-reeks is financiële
ondersteuning verleend door de Stichting
Lezen en de Stichting Mien van 't Sant Fonds.

De Troef-reeks komt tot stand in
samenwerking met de FODOK.

Vormgeving Studio Birnie
Illustraties Dirk van der Maat

Eerste druk, eerste oplage 2005

ISBN 90 77822 10 0
NUR 283 en 286